Entre Ríos y Quebradas

Entre Ríos
y Quebradas

FRANCISCO RODRÍGUEZ BUEZO
DE MANZANEDO

Entre ríos y quebradas
Primera edición, noviembre de 2021

Tessellata Libros

ISBN: 978-1-7369492-3-8

TESSELLATA BOOKS
Virginia, EE.UU. (USA)
Tessellatabooks@gmail.com

CONTENIDO

UTOPÍAS Y RECUERDOS   57

ACERCA DEL AUTOR — 97

Caminos y Soledades

Lluvia, niebla y sol

Deberá ser leído en la noche junto a una fogata,
con un café y un cigarro a la ribera del río.

Retumba el agua en la quebrada al caer con fuerza.
Noche húmeda y fría
El viento sopla sobre los árboles
y suenan con el vaivén de sus hojas

Retumba el agua en la quebrada,
Allá en las colinas ya la niebla se levanta,
Siento el olor de la húmeda tierra,
que es fecunda y fértil con la semilla.

Retumba el agua en la quebrada
y baja por el torrente,
queda la noche de lluvia.
La garúa me acompaña en el dulce sueño.

Retumba el agua en la quebrada.
Ya en la mañana, en la colina el sol tenue va alumbrando,
la silenciosa quebrada deja pasar las últimas aguas,
las últimas lluvias de mayo, que ya han pasado.

El cielo azul se atisba entre las nubes
solo deja sentir la humedad de los resecos espíritus,
allá en lo alto está esperando el arco
del iris de los colores.

QUEBRADA AL AMANECER

Voy por la cima mirando
la cumbre del alto cerro,
al fondo de la quebrada,
donde se despeña mi espíritu,
lentamente el andar me deja sentir
el cras-cras del hielo al amanecer.

En el horizonte se atisba la última lluvia;
el último sol…
la última mañana del verde horizonte.
Siempre será el encuentro de sentir:
Ora el viento,
ora la lluvia,
ora el verde,
ora la cima
en donde las penas se encuentran
en el amanecer.

Quiero en la altura mirar en lontananza
siempre con la misma ternura la agreste quebrada:
Allá, a lo lejos, el valle.
Acá cerca, la peña.
El agua que cae del manantial
que pasa sonando en vertical.

Quiero esperar el atardecer
para mirar el sol ya ocultándose,

dejando la sombra de los cerros,
cuando el viento sopla con su frío,
y recojo mi espíritu después de mirar tanta grandeza.

Quiera el viento, quiera el sol, quiera la lluvia,
quiera el viento, quiera el sol, quiera la lluvia
que mañana al amanecer
aún estén los mismos sentimientos
de este variable vaivén que puede ser
esta corta existencia, que es el mirar, que es el sentir.

El viento

Para: Fernando Silva Santisteban.
El tiempo es eterno, como todo el universo,
simplemente cambia.

Suena la quebrada, en el fondo.
Allá en el risco, en la pendiente,
se mueven con lentitud las ramas,
van ondulantes inclinándose
en la tarde asoleada y tranquila…

Suena la quebrada… ya en la mañana
Con fuerza se balancean las hojas
como arrancadas hacia la cuesta,
llevadas a la altura de la cumbre.

Suena la quebrada, ya en la noche.
Es fuerza que lleva
arrastrando con todo,
sin dejar de sonar
las hojas de los árboles.

Y allá en los linderos de los cerros,
los remolinos levantan el polvo…
Suenan en agosto
tras la lluvia…
queda el eco que rebota en la quebrada.

Con la tarde va pasando el sol…
Nos queda la sombra inclinada,
dejándonos ver a lo lejos la silueta de los cerros
que nos dan su inmensidad y altura.

EL QUE CAMINA

Arrieros somos
y en el camino nos encontramos

No hay camino corto ni largo…
Simplemente se camina
Hasta que la vida nos halle con una alegría o una pena
con un recodo en la cuesta
que quisiéramos nunca llegar.

Porque en el vaivén del estrecho,
de cuando en cuando quisiéramos ya no subir
ni menos bajar… El sol, la lluvia
y el viento nos miran por nuestro caminar.

¿Arrieros somos
y en el camino nos encontramos…?

Pero en el recodo… ¡ahí…!
donde hay que descansar,
paque la cuesta no se sienta,
cuando ya sin fuerzas…

Casi sin esperanza, el tiempo nos lleva…
porque el camino es bueno o malo:
según el estilo de nuestro paso;
malas las circunstancias en que nos tocó caminar.

Pocos ya caminan…
Menos ponen el encanto
de lo que es mirar el tiempo
esperando la lluvia o el viento.
Que no estemos esperando la suerte, sabiendo que
¡Todo está en el camino, cuesta arriba, cuesta abajo!,
porque siempre hay en él el esfuerzo de caminar…

Arrieros somos
y en el camino nos encontramos.

AYACUCHO

Ayacucho para llorar
Cajamarca para reír

Va cortando el agua el
cielo del amanecer

sobre la cumbre en la
altura va el valle verde

Ayacucho tierno, pobre, febril
Sonando guitarra al amanecer

Ayacucho para llorar
Cajamarca para reír

Viento de la quebrada que lleva
a Huamanga, huayno triste de la tarde.

Río de las penas, sauce de la ilusión,
eucalipto verde como mi sueño

Ayacucho para llorar
Cajamarca para reír

A veces se llora en Cajamarca
y se ríe en Ayacucho.

Cuando el tiempo es bueno
y el olvido es grande

EL RÍO

Va bajando el río en el atardecer.
Se lleva todas mis penas en su corriente,
pero se quedan todos mis recuerdos

Recuerdos de niño,
recuerdos de hambre,
recuerdos... a pesar de la magna leche

siempre desnutrido…, ese espíritu prestado,
porque mío en estas carnes no lo es,
porque estoy seguro que nadie llegaría a estos huesos

Esos son mis recuerdos…
Las penas que se llevan en el último pan de maíz
que antes de ayer yo comí…

Porque en estas tierras, ya nada queda
Solo el valle sin lluvia, con un rocío que llega
en el amanecer de no sé dónde…

Que se seca en la mañana, como se secan
las cosas que llegan de allá… de no sé dónde.
Porque acá no hay ni penas, ni recuerdos…

Porque, al mediodía —le aseguro—
que el río ya se secó y que ni penas sin recuerdo,
solo muerte, ha de quedar.

CARNAVAL

Tiempo de alegría, tiempo de lluvia
tiempo de barbecho, en tierra mojada:
tiempo de carnaval

Llega ya el Rey Momo y todas sus comparsas:
danza, festín, como el que canta todas sus esperanzas
en la tarde de carnaval

Van por eso la reina,
el saltimbanqui
y el payaso, de la mano

Todos llevan la misma alegría
la misma borrachera de chicha
o de aguardiente

que en carnaval se bebe
sin saber quién
malo, bueno y desdén

Todos de la mano, porque es carnaval,
y solo queda el último silbato en el mes
de las lluvias, cuando ya todos se van…

EL REDENTOR

Hoy somos testigos de todos los olvidos
y de todas las cosas
que nos permiten vivir en ese enjambre de
circunstancias que es la vida:
como…. ¡Ayacucho de mi querer!

Querencia de atardecer, como de sal y de arena
costumbre antigua del querer, eterna Huamanga
con sentimiento de Cristos y de oración.

De Santa Semana de mi corazón,
razón de mi alegría, razón de mi vivir,
vela encendida… ya en el atardecer

Cuando el Cristo, el redentor, pasa lentamente
esperando un querer…
¡Porque Él espera más de nosotros, que nosotros de Él!

En Semana Santa digo —es un decir—…
se juntan todas las cosas de Ayacucho
porque así tiene que ser.

Se junta, digo…, la cosecha
el maíz…el trigo…la cebada
la quinua de mi saber.

En Huamanga está mi sentimiento,
la alegría de vivir,
ancestro de vida… ancestro de cultura de ande

Ayacucho es fuerza…
Ayacucho es esperanza…
Ayacucho es altura…

Ayacucho es de hambre o de sed…
yo diría de olvido más que historia
que por trescientos años lleva en su querer

querer de vida, querer de esperar
porque Ayacucho, fuiste más en colonia
fuiste más en independencia
para volverte olvido de la República…
por más que mi patria nunca te reclamó.

CAMPANA DEL OLVIDO

Suena la campana del olvido
en la torre del recuerdo.
Cuando la piedra canta en Huamanga
de punta de cincel, con la fuerza
de quien le arranca sonido a pesar del desdén.

Y encima va la lluvia, para dibujar la línea
que en el tiempo ha de quedar,
va esperando la piedra, que tal vez sea la
oportunidad de tallar el sentimiento.

Porque ya no queda nada
porque ya solamente muerte
porque ya todos se han ido
porque ya en la tarde un cristiano
reza con desdén.

Entonces la santa semana llega
para con la oración que queda
podamos darle nuestra última esperanza
que solo se da en este día
casi de olvido, casi de ausencia.

Es entonces que en Huamanga
vienen todos los recuerdos
vienen todas las pobrezas

y llegan tarde las promesas
de lejos que nunca llegan.

Es por eso que el mito se da;
es por eso y no otra cosa que aquí,
o se muere por salud o se muere
por olvido, pero más seguro es de hambre
del que dirán.

EL TIEMPO

Van los días sin sol, sin viento
sólo con un va y un ven de esperanza

cuando el día está tranquilo, sin querella
solamente con tristeza…

Cuando dicen…
digo…
Es un decir…

Que el agua está triste
cuando va cayendo,
cuando va corriendo…

por su cauce
la estoy sintiendo…
suena cadenciosa, rítmica en la noche

El agua va cual sentimiento
corriendo al mar tras la pendiente
sin que nadie la detenga.

Ribera del río

Ribera de río, corriente de agua
fría de amanecer
va llevando en madrugada toda la alegría
suena el agua en las piedras contra la quebrada...
suena sola,
como suenan mis sueños en profunda soledad

El sol alumbra ya
sigue la corriente
va cayendo, va llegando...
fría ... fría... fría

Sol de amanecer alumbra ya
entre sombras de luz, queda la quebrada
oblicua armonía de sombra y luz

El agua pasa
queda solo el sonido
queda solo el olvido
queda infinita ausencia.
Queda la sombra.

CAMINOS

El viento nace en el árbol
cuando las ramas van camino del movimiento,
el viento pasa sin dejar huella

El viento va en mayo o septiembre
cogiendo las hojas que van cayendo
en la mañana de la vida o en la tarde de la muerte

Va pasando lentamente
el viento de mayo
Ya en septiembre va con fuerza

Llega el viento
cuando aún están tranquilos
los ánimos de primavera

Porque ya en invierno
deja el camino que va al horizonte
del cielo donde se pierden las penas.

¡Deja que le llame!
Que regrese…
Que aún la tarde está llena

Deja que le vea
para saber cuando las hojas

van camino del viento.
Porque cuando puede ser tarde;
siempre hay un temprano
en esta cuesta del viento

Miro allá el horizonte
donde van dos caminos
por la cuesta de las peñas.

VA POR TODOS LOS CAMINOS
EL RASTRO DEL QUERER

Como el pajarillo amarillo en el atardecer
Como el encuentro del olor de la retama…

O el color de la piedra en el borde el río:
plomiza clara, borde negro

Así van los quereres en esta quebrada honda
y profunda como todo el sentimiento

Lleva o va con el olor de las retamas
el verde de los quereres

¡Hay ausencias y sobre todo olvidos
que duelen en el alma…!

Es el recuerdo de quien siempre
piensa en el río… en la retama

El rastro de quienes han vivido
el camino rojizo de la peña

Allá en la altura, siempre llega
un aguacero tierno que alivia la sequedad

Canta con alegría el zorzal
en la peña de mi querer

Canta porque tiene que cantar
como le canta el viento a la peña en el atardecer

Suena a lo lejos el retumbar de la quebrada
como el simple sueño del olvido

Van todas juntas las alegrías y las penas
por el camino, dejando el rastro del querer.

¡Cómo quisiera ver toda belleza junta!
Y solo veo mi interior, sendero del olvido, piedra del querer.

RÍO DE VERANO

Baja lentamente
con el sonido del tiempo.
En la ribera, las piedras
suenan unas con otras.
Clara, transparente…, el agua,
lleva cierta melancolía
que se deja mirar al pasar.

Así son en verano cantarinas, tranquilas.
El sol y las sombras se reflejan
como si fueran miles de espejos.
Entonces las miro…
van pasando las aguas del verano,
que llevan su transparencia
por el destino del cauce.

Va pasando el tiempo
como pasan las aguas,
quedan los lechos
vacíos o llenos, según la estación.
Tiempo de sequía… tiempo de espera
cauces vacíos; así son los tiempos
días de sol y sin lluvia.

Va por el río la transparencia
van por el río las soledades

van por el río los últimos atardeceres
sin regreso… solamente se van
las tomas sin agua, sin riego las mieses.

Esperando los tiempos
que pasen sin olvido, sin recuerdo
como pasan las aguas del verano
que tienen en el tiempo la espera.

ATARDECERES

En la tarde
y solo en la tarde
hay dos horizontes
el del sol
y el de la luna.
El sol ya triste dice:
hasta mañana,
la luna sonriente
nos deja mirar por
reflejo, el claro celeste del
atardecer de junio
sin lluvia, sin humedad,
que los cerros bañados por
el claroscuro
nos hacen sentir la infinita realidad
de la vida sin sol y con luna
porque en la tarde
hay dos horizontes...

MAR Y ARENA

Miro el mar con infinita ternura
en la tarde, con el cielo celeste oscuro
en el horizonte, se unen para formar un todo.

El sol ya triste se despide en la tarde
lleno de belleza rosada candente
que en cada instante se oscurece.

Las olas eternamente golpeando
la playa, la arena, el acantilado
van y vienen, dejando su espuma.

El aire sopla en la playa, la arena
se desliza lenta y constante
hasta llegar a perderse en el agua.

Cómo se pierde la vida,
cómo se pierde el viento y la alegría
cómo, en fin, en un instante, la vida nos deja.

Húmeda cerca del agua, seca lejos de ella,
la arena se va en el atardecer
pero regresa al amanecer.

Sólo queda la huella
del mar en el atardecer
El sol, ya oculto no nos deja mirar...

EL VIENTO

El ancho va en subida
el angosto va en recta
porque en ellos no caminan

los que en este valle viven
porque ya el viento
no es de ellos

Cuando era nuestro
como el pan
bueno de cada día

Alguna cicatriz se curaba
hoy sangra, ya...
con huellas de la tarde

Porque como vas
ni el camino, ni el pan
solo la herida ¡salve, queda!

Viento que va pasando
el árbol va quedando
y, ella, va mirando

El camino, el horizonte
la tarde, y al fin las
hojas que van naciendo.

SUEÑO EN LA PLAYA

Va la ola…
Con lenta cadencia
regresando y deslizándose
como mi pensamiento
que solo hoy he podido ver
en el atardecer

el mar sereno y siempre
como fuente de todo lo nacido
que canta en el estar de mi tarde, la pena

Recojo mi recuerdo
y me deja mirar en el horizonte
cuando en la playa se canta una tonada
entre alegre y triste, dependiendo del ánimo.

EL OLVIDO

Hoy amanecí con alegría de mirar el cielo,
de mirar, no sé si el verde o el claro

el camino rojo y fresco con curva de herradura
porque así son los caminos

por más que digan que la esperanza llega…, ¿Llega?
porque… ¡siempre estamos en el camino del olvido!

pero el recuerdo de quienes amamos es más fuerte
que todos los olvidos…

como el olvido de la peña
que nos lleva a la ternura del camino,
del precipicio ausente,
de la soledad de las tardes.

CAMINO A SAN MARCOS

Lleva el tiempo una pena
lleva el agua una alegría…
las retamas, el olvido.
El camino de San Marcos
tiene un sentimiento…
De ti, siempre tengo
ese olor a una flor
que quiero ver…
Tú eres más bella que todo el camino,
el encanto que tienes
se pierde en el cerco del olvido
porque tú me das todos los pensamientos
todos los encantos prohibidos…
llevo ya tiempo metido aquí, en el pecho
todo el sentimiento de la vida
con todos sus pesares
con todas sus esperanzas
y con todita tu ternura
que al caminar desparramas.

LOMAS

Debería ser septiembre cuando escribo,
Pero es aún junio

Y en junio debo contar lo que sentiría en septiembre
Sentir por ejemplo…
que todas las penas están aquí presentes

Que no hay mal que por bien no venga
O bien que no traiga mal

Que el mar está cerca y yo estoy lejos
Que la bruma del tiempo en la arena va
humedeciendo

Lentamente en esta costa de mi querer
Lomas eternas, llenas de humedad

Llenas de hierba con todo mí querer
Que nadie sabe ver

Lachay en mi encuentro. Sabia hondonada
como mi pueblo supo realizar

Ya… hoy casi no existe
Pocos podemos admirar

Pero como soy un hombre simple
Con el permiso de todos los presentes
Le canto a la loma que me dejó disfrutar
En la mañana con el encuentro del tiempo

Que aquí nadie quiso mirar
Vaya mala entraña que nos aguarda…

Simple, como el mar
Así es la arena…

Lomas de Lachay: humedales en la costa, cerca al mar.

QUEBRADA HONDA

Así solo
ausente y relegado
mirando pasar el agua
en aquella quebrada
honda y solitaria.
Esa tarde con hambre y frío
recordé cómo pasan los días,
cómo pasan las horas y los meses.
Fue en el agua profunda
donde se perdió el espíritu
así en soledad
pasó la vida,
como el agua
de aquella quebrada
honda y solitaria.

EL ATARDECER

El vino blanco esta frío,
el corazón está caliente

Cuando llega el tiempo de la espera en el recodo del
camino,
el olor de la retama llega a mi espíritu
y siento al fin la calma de la brisa que llega
en la tarde cuando ya todo está dicho.
Es por eso que cuando subo y llego al final
tras la tarde, miro el sol en la esquina
que en el frente nos hace mirar la sombra del
atardecer,
quieto en ánimo,
alborotada la pena,
solo nos deja mirar ese valle verde,
que es el vivir.
Cuando solo nos queda mirar que el tiempo
es un instante en que vivimos
y el atardecer una eternidad
que se pierde en el infinito de la vida.
Solamente pienso en el camino fresco de la tarde
cuando el sol se pierde.

EL PEDREGAL

Van los atardeceres
con el sol en horizonte
cuando ya mirando
la peña del olvido
guarda su encanto

Vemos todo lo que encierra
como la sinfonía de la noche
en que no podemos preguntar
qué hay dentro de ella
solo el misterio del devenir…

Riqueza llena de plenitud…
mina encantada de ensueño,
cómo quisiera hoy saber lo que tienes,
para dormir ya, con mi cansancio.
¡Mira que se va el tiempo!

Espero,
siento,
pienso…
en fin…
digo que el próximo atardecer
podré llevar a mi encuentro
el último recado de tu secreto.

Pero hoy solo miro la mina
de mi encanto, de mi ensueño,
por ti minero soy.
Cabalgando en busca de tu riqueza
volteo por el hombro a mirar
la quebrada en el atardecer
que esconde lo que quiero mirar

Es por eso que en septiembre
poquito después de agosto
regreso a mi estancia
tranquilo y solo medito
para no mirar lo que tú
estarás guardando para mí.

TARDES DE INVIERNO

Tarde sin reposo
viento en alto
entre nieves y fríos
soledades.
Ríos helados
orillas secas
árboles quemados
por los fríos de enero
sin sosiego
sin calor
sin recuerdo
solo perfecta ausencia
llena de soledad
en aquella tarde.

ENTRE PIRCAS Y LOGORES

En mi vejez me he perdido
en el bosque del amor

Subía lentamente por la cuesta
con su vestido negro que se balanceaba
al compás de sus caderas

Brillaba su negro pelo
atado en trenzas,
con cintas de rojo, blanco y azul.
Entre piedras, pircas y logores
la miraba.

Volteó, en el recodo del camino
parándose como para tomar aliento
vi su rostro y su perfil
joven, tierno, lleno de belleza.

Nunca más la vi
me alejé de los caminos
me alejé de las cuestas
me alejé de las pircas llenas de musgo
que ya no están.

En mi vejez me he perdido
en el bosque del amor.

Logores: agrupamiento de piedras para fines agrícolas

EL AGUA

Sombra de sol en amanecer
luz de luna en atardecer

Oblicuamente cae la luz
que no me llega

Estoy en sombra siempre
mirando en la quebrada

mirando el agua del amanecer
que cae limpia y clara

El color ocre y pedregoso
que se lleva mi visión

Así fue, así será
faltó siempre mi ilusión.

VALLE

Me tienes siempre
recordándote
entre eucaliptos, sauces
siemprevivas y quebradas

llegará la tarde
que nos hallemos en el camino de a pie
mirando la distancia
el verde claro del valle, el verde oscuro,
suave y silencioso
con un eco de aire
que pasa en el atardecer
todo tan bello
todo en sombra
todo en oblicuo

Al final a lo lejos
se ve una bruma
la húmeda mañana
nos llena de estupor
allí está el valle.
allí está la retama
ahí está mi soledad
ahí está mi recuerdo
ahí está mi valle.

ENTRE CAMINO Y SILENCIO

Están faltando penas
porque sobran alegrías
¡tanto se me prohibió!
La alegría que me quede
me dejará exhausto de sentimiento

como ausente
falto de respiración
sin armonía
se frota el desdén
cada tarde en mi piel

soy apenas
en el camino
un viajero de a pie

sin travesía
sin palabra
con silencio
suena tanto solo a mi oído
que no quiero escuchar mi interior
solo un dolor
muy antiguo
que por eso
me falta camino.

CERRO

Había…
Hubo…
Hay…
Una tarde
de olvido
acompañado
de soledad…
No estás.

Pienso tanto en ti
como si fueras mía
y eres solo geografía
en ausencia

¿Cómo estarás?
tu sombra oblicua
que llega detrás
de aquel cerro…

¡Tanto te amé!
¿habrás cambiado?
¿estará el mismo árbol?
¿la misma piedra?

Tengo tantos celos
de que me hayas olvidado.

PLAZA

Se refleja la luz del farol
ha llovido toda la tarde
estás fría…
camino a tu alrededor
una y otra vez
miro el Bar El Lorito
el restaurante Salas
sigo dando la vuelta
el Obispado
el Sagrario
la Catedral
vi a mi madre llorar tanto ahí...
Dios nunca llegó…
Dios siempre fue muy malo con ella.
Confirmo aquello
El hotel no me gustaba
Casa bonita
Allí Laurita, viejita tan linda,
siempre miraba los atardeceres
Los helados Lopetín

Segundo piso
entre balcones, Club Cajamarca
Cuántos recuerdos
La esquina…el cine Ollanta
Cinema sin fin

La Prefectura
La Casa Blanca
«Estreno forzoso de aficionados»
Sigo caminando
Ilumina el farol
Camino lentamente
Calle larga
Iglesia pétrea, bellísima
Una tarde húmeda
Farol encendido
Me lleva al cuadrado
Casi perfecto.

Utopías y Recuerdos

JANETH

En la tarde de ayer te buscaba.
Miré si habías llegado
y no estabas…

Siempre que llego, miro, busco…
¡Qué alegría encontrarte!
¡Cuánto dolor no verte!

Al no verte, pregunto:
¿Qué…? ¿Ha… viajado?
¿Volverá…? ¿La veré…?

¿Qué…? ¿No se ha ido para siempre…?
¿Qué le diré cuando la vea…?:
Que me faltan palabras…

Me sobra aliento para decirte que te extraño,
que tu ausencia no se llena con nada…
Solo tú eres presencia…

Miro tu finura
Escucho tu palabra
Tu voz es sonido del alma.

Cielo, mar y madre

Para: Josefina
Para ser leído en una tarde, con sentimiento

Al mirar el cielo azul
veo el firmamento,
cuando cae el sol ya en la tarde,
la penumbra me entristece:
Es cuando siento, madre, tu mirada
que es más grande que todo el universo.

Al mirar allá, en lo alto las estrellas,
en las noches ya oscuras, la soledad
del campo es silencio,
tú palabra madre es mi compañía.

Madre, el mar es inmenso
Madre, el mar suena… suena
Con sus olas en la arena.
Madre tu silencio es mi compañía.

Madre: si el sol,
si las estrellas,
si el mar,
si el cielo,
y todo el firmamento se juntaran:
todo sería poco para decirte que
te amo.

Fotografiando a Ana María

Pelo suelto como el sentimiento,
libre entre las mejillas,
color oro como la mies.

Profundísimo mirar casi de atardecer
Serena en brazos
Azul en inclinación.

Labios finos de buen querer
Suave piel de amanecer
Al río de mi atardecer.

Han de ser como la miel
Con ojos en sombra
Frente amplia y serena

Te canto Ana María
En tercetos de mi vida
En instante infinito, que has de ser.

Vaya para ti, Anita, estas líneas,
que se harán poesía, cuando tú
y solamente tú las leas.
Permíteme tan solo una copa de vino,
mirando al mar para ver tanta
belleza, como esta foto tuya inclinada en el tiempo.

IGNACIO

El bien nacido… hombre simple y sencillo:
media entre su vida y la muerte un río
de fresca agua, lluvia y viento.

Prudente y cabal.
Si fuera torero…
Bastaba con la muleta
porque la pica a él no le importa
si no la fuerza que en la embestida
la vida le da…
Caminando en terreno,
va Ignacio sintiendo la lidia,
va mirando quién tiene fuerza,
quién es manso…
Del manso busca el entender
De la lidia, la lucha eterna…
que la vida da.
Porque él siempre fue así
Nunca buscó la faena mal habida ni el toro
sin recodo… si no la fe en la arena
Para llegar sin sentir al último tercio…
que la vida nos da.
Él, sereno, tierno, cuajado de arena,
hombre de fe… que cuando al ruedo entra
no hay arena que se le mueva
ni toro que en mala esquina, en la barrera no le dé…

Lidia pura…
Él es de buena sangre
Que en la muerte como en la vida
Siempre supo compartir
el clarín de la plaza.
Es por eso que hoy escuchamos
Paso doble sin requiebro… solo
arena, Acho, barrera y sentimiento.

Hombre de vino blanco
como su alma que doy fe…
Que de otra manera…
no ha de ser.
Solo démosle tiempo
Que los toros son de lidia
…Y el alma, buen querer.

CANTO A KARINA

Eres como el rocío suave de amanecer
Tierna sonrisa con labios de miel
Robarte un beso, sería placer
Bellísimos ojos tiernos de atardecer

Tu caminar es encanto
como movimiento de mar
suave, delicado, en baja marea
que lleva el misterio de la profundidad

Sólo le pido a la vida navegar un instante
en ese mar misterioso,
que deje sentir la humedad de tu piel
Que cuando el puerto esté lejos te vea lejana
cual luz que ilumina desde la arena.

Agradable sabor de la canela
Como el color de tu piel
Al compás de los días
Espero tu mirar.

Karina…
Tan solo un tiempo
Un estar
Que sea infinito….
En este septiembre que pasa

frío y solo en tu ausencia.
Nadie, Karina, habrá
cantado tanto a tu haber
a pesar de que has amado tanto.
Pero te canto
Solo… para el atardecer.

DE PERFIL EN LA NOCHE

Para Jaime Buezo de Manzanedo (Ausente ya…)
Te prometo que en las tardes de julio, miraré
la inmensidad del mar desde el malecón de
Barranco, como prueba de que siempre vivirás
en mis recuerdos…

Quiera el tiempo,
Quiera el día
Que como hoy, en ausencia,
estamos en tu perfil
Como siempre con tu sencillez nos diste
ese aliento que con tu elocuencia supiste transmitir

Compartiendo una pena,
Compartiendo una alegría
Compartiendo en fin… lo que la vida nos da…

Déjame que hoy te cante mi sentimiento
Déjame que te diga que con esa alma de torero
le hiciste un quite a la vida para encontrar por
derecho la muerte…

Porque tus manos de varonil trabajo,
calladas por la tierra; siempre fuertes,
siempre alertas a extenderlas a quien sabe por qué
necesidad urgente…
Tu estuviste presente… ¡ay, si no he de saberlo!

Quisiera hoy dibujar tu perfil:
Veo tu andar tranquilo y cadencioso
recostado el paso a la derecha,
recostado el paso a la izquierda.
Pelo negro, fino labio, tez morena a lo gitano…

Me queda aún en el oído tu timbre de voz…
Quiero en este instante decirte:
Que siempre sabremos recordar que supiste compartir
ese pan nuestro que Dios nos da…

Solo para ser leído, cuando haya penas y ausencias…

BARBECHO

Julián Ampudia Figueroa
Para quien el tiempo es un instante
y el cariño es eterno

Gañán de buena fe, tierno y cariñoso
para quien el tiempo es un instante
que hay que compartir con una sonrisa,
y siempre una esperanza que la vida nos da.

Hoy, te escribo por los surcos que siempre dejas…
Pueda que el agua no llegue…
Pero como eres un hombre de fe, no importa
que no llegue… lo que importa es sembrar

Recogiste semillas, cosechaste lo que el surco te dió
Y sobre todo cosechaste este sentimiento que
siempre supiste compartir: como una alegría o una
pena… o un desdén que el tiempo da

Vaya para ti, Julián,
esta tarde todo mi saludo y respeto
Caballero fino, delicado…, ¡qué buen señor!
En la tarde como en la noche, él siempre fue así

Te escribo con mi sentimiento.
(¡Cómo quisiera tener esa ternura
que tu espíritu siempre da…!)

Vaya hoy día de diciembre toda la cabalidad
de un señor...
que cuando el tiempo mal habido, él no lo recuerda
porque él es siempre todo felicidad...
Que la ternura, pan y agua fresca en su espíritu
no ha de faltar

Porque las más malas compañías
nunca envenenaron su espíritu.
Tan solo espera el cariño que pueda recibir

Porque siempre, Julián, estarás
en nuestro instante,
que siempre supiste compartir.

CUSHALITO*

Para Rafaelito Amoroz Terrones,
amigo siempre alegre de amanecer

Acá juntando piedras para hacer tulpas,
chamizas recogiendo, para hacer fogones.
Leñas están mojadas…
Llega nomá… siéntate en aquel poyo:
Vaya a ser que estés cansado

¿Qué…? Traes penas...
De a poco las contarás.
Es que el tiesto anda medio quebrao
para tostar esas canchas
Cuéntame no más…

No faltará cushalito…
¡Que ni hambre traes!…
Que te duela la pena…
Dolores siempre hay…
Esperanzas siempre se pierden

Tarde ya… el solcito se ha ido
Quiere llegar la oscurana.
Que cuesta tener encendido el fogón
Y tu pena ya es la mía…
Pero ya no tengas pena

Solito recogió su poncho
Solito del poyo hizo su cama
Solito en la mañana…
Solito se fue
Solito ya sin su pena,
que en el fogón la quemó.

*Cushalito: cualquier alimento ofrecido en el camino,
con generosidad, a cualquier caminante.*

Para Rafael Ganoza

Para ser leído entre líneas y referencialmente.

Tarde ya…
En sombra
en medio de la arena
citó, a pie firme,
echó el paño
Después de una larguísima
y bella revolera por izquierda
trató de hacer un quite
para encontrar
por derecha la muerte.

Era tan solo alegría
Era tan solo sabiduría
Era tan solo inocencia

Todo era ya silencio
Los clarines cesaron
Solamente la sombra

En barrera de sol
quedó terciado
un pañuelo blanco,
que aún no sabemos
si era señal de indulto
o de defunción

Se ha ido
Ya no está
Ni estará…

Se abrió la puerta grande
en su honor
Salió en un lento paso:
No dijo nada
No dejó nada
Absolutamente nada
…¡Pero no hay tarde que no se le recuerde!

Un viento suave en la arena,
como un remolino,
llevó los últimos sonidos,
las últimas voces
…Era sólo silencio
Y ya no está.

LA MUJER DEL PINTOR

Para Amanda Chaves,
quien con una flor en la mano llegó
una tarde de abril
y se fue en la mañana muy temprano,
sin tiempo para despedirse…

Entre el valle y el río, tu vida transcurrió,
saliendo el sol y esperando la luna
esperando la vida, la sonrisa o a veces el llanto

Mira cómo pasa el agua, cómo se viene la sed
con el verde de la tarde vas caminando…

Con la mañana viene el sol, con el sol todas las
alegrías
mira cómo pasa el tiempo.

Tú estás presente…
Déjame que hoy quiero recordarte.

Porque siempre fuiste ternura;
simple como el viento.

Llena de franqueza
que la vida da, a quienes como tú saben comprender

Amanda Chaves, vestigio de ilusión
de alegría, que la vida dio…

En esta tarde de julio veo por fin tu silueta
con tu vestido de flores color rosa, color amarillo

siempre estás en mi ánima
por eso es que cuando veo la vida, veo la sinrazón

Que te fuiste sin decirme adiós…
Pero siempre estarás en mi quehacer, en mi corazón

Para quien en las tardes, con su sencillez ,
me hizo comprender cuán hermosa es la vida
cuando está llena de amor.

CARLOTA

"Arbolé, arbolé
seco y verdé"
Federico García Lorca

Al medio día, más bien ya en la tarde
me hiciste subir donde las piedras son
altas y difíciles de llegar…

Con mucho esfuerzo
te pregunté ¿Para qué me haces subir…?
Para mirar…: ¡Mira… mira… allá!

Sol y viento del atardecer
retamas verdes. Al borde del río
sauces inclinados por el viento

Y sobre los trigos ondulantes
lentamente moviéndose
como esperando el mirar

¡Mira… mira en la lejanía!
Mira el valle en el atardecer
Después no digas que no te hice mirar.

Razón tenías, que el mirar
es el sentir… cuando la vida pasa
cuando el tiempo vuelve

¡Mira… mira!, me dijiste
abajo estaban todos los ensueños
todita la belleza de la lejanía

que solo se ve de niño…
ya hoy en el atardecer no puedo
ver…

¡Ay, madre!… déjame mirar de nuevo
Para sentir la belleza de esa tarde
que se fue como un instante

Sin saber, en fin, qué sucedería
hoy ya no puedo mirar… por más que veo
instantes que se fueron…

Por más que todo es eterno
por más que todo es infinito…
hay momentos que no vuelven…

EL SAUCE

Con permiso de todo lo humano
con permiso de todas las penas
con permiso de esta utilidad que nunca llega
con permiso, en fin, de todo lo que nos rodea

con permiso digo…
déjenme cantarle a Dios,
le canto al hombre, al sentimiento
a ese Cristo de fe y de dolor

que no medie religión
ni iglesia… ¡Pero si fe!
Porque tú, Dios, desnudo en el madero

nos diste esa enseñanza que aún…
no nos llega, que aún no aprendemos
pero que sí de algún modo sentimos.
Hoy de tarde déjame decirte:

Que con tu dolor
soy más humano… más hombre,
en otras palabras, sufro y nada más,
porque cuando te veo, así, pálido,

digo que siempre estarás con nosotros,
mientras haya quien pueda sentir
las penas, las ausencias y sobre todo ese…

ese dolor de quien un pan marginal
nos pide, porque te cuento —si no lo sabes—
que por aquí, por donde voy, siempre alguien,
un pan que no tengo, ¡por favor!, me pide.

Y es por eso que te canto, que te pido
con el permiso de todo lo racional y
humano, que la ganancia marginal no está en este
ande mío, en esta quebrada, recodo de mi pena.

Que los de acá estamos tras el sauce del olvido
o del molle del recuerdo…
que canta nuestra ausencia.

LA GUITARRA

Suena el bordón de la guitarra, con fuerza
con tierna interpretación, casi con llanto y alegría…
lentamente nos da ese tono de olvido que
aquí es tan necesario…
ya no hay sentimiento y somos parte de esta quebrada

de música y plenitud…
que alguien del oriente nos quiere quitar
Dice ser… no sé por qué razón,
de este mismo ropaje,
que le juro, no le va…

Sobra en este Huamanga la inteligencia,
que no sé por qué hoy ha aparecido…
pero sí le puedo decir que sigue sonando
la alegría de vivir, por más que haya quienes
se refugien allá lejos…,
cuando acá estamos siempre esperando

Ya está sonando el bordón de la esperanza
del Cristo que pasa
porque aquí todo pasa…
hasta el Cristo de la semana

La santa verdad es que aquí no llega una migaja
y que siempre estamos a la postre del quantum

maldita sea siempre nuestra suerte…
porque allá siempre se decide lo que nosotros
no queremos

Semana de nuestro redentísimo Señor
que hoy con flores y con fe en Huamanga esperamos
tras el cerco… ¡el olvido!…, en quién sabe qué
circunstancia, la lluvia
sería mejor que cualquier maldita irrigación.

DANZÓN

Para Javier Zárate Miranda
Para ser leído al mediodía
con una copa de vino tinto.

Canelo es tu color
brioso es tu andar
Pecho grande,
firme tu pisada

Canelo es tu color
sensible a la jáquima;
sin herraje tu andar,
crin cortada.

Esbelto tu talle
suave tu pisada.
Admiro tu andar
profundo al respirar

Canelo es tu color,
compañero, campeón,
grupa ancha
sensible al mirar

Canelo es tu color
Hoy te vi
lleno de suavidad,
belleza al caminar

Canelo es tu color
cabeza chica
sin pintas
entero en tu pelaje

Cabestro a la izquierda
Cabestro a la derecha
parada firme
Amigo fiel.

ENTRE PENAS Y ENJUNDIA

Quiero hoy cantar a la vida con este dolor que me atisba
quiero hoy decir por, ejemplo… que la luna está triste
por más que la mire.

Que cuando me levanto con inmensa ternura por la
vida,
en la mañana todas las penas se juntan como
remolino
a mi alrededor y que es entonces cuando quiero llorar.

¡Ay…! Hay mañanas que no quisiera despertar,
seguir soñando y que todito fuera distinto…
no como un sueño, sino como yo lo quiero.

Alrededor de la pena, llueve, se humedecen los temores
y cuando se secan, cómo duelen, se rajan haciendo
grietas
aquí… adentro… es cuando no hay ni agua ni
aliento,
ni alma que la soporte.

Es cuando dentro de mi quehacer
se ataja la saliva en la garganta,
es cuando el aliento queda, para dejar la ausencia de mi
yo.

Déjame que te cante... Marinera

Sombrero en mano
pañuelo al viento
con cadencia va
y con requiebre

Va a la izquierda
va a la derecha
coqueteo al pasar
mirada al desplazar

Faja al cinto
bordado en el pecho
enagua al tafetán
zapateo en arco

Cadencia en pie descalzo
con fina ondulación
vuelta con inclinación
requiebre al salir

Mirada a la distancia
escobillada en pie
requiebre en salida
y rodilla al fin.

MARGINADOS

Toda la pena se va recogiendo en una alforja de alegría
todo el instinto va siempre acompañado de ese maldito
recato del qué dirán.
Porque siempre están pendientes de ¿qué pensarán…?
Cuando saben que el todo está allí,
en este encuentro entre el van y el ven del deseo,
que a todos nos acoge,
sudorosos o mojados del deseo del último descenso que
más parece
que fuera la última desesperanza
del último desdén.
Pero ya todo está dicho,
ya sintieron la última excitación
—por qué no decir— el último deseo.
Pero en fin, dejemos con todo su recato, cual agiotista
que piensa
en su última ganancia, en su última ventaja, que
mientras él gana
qué importa que el resto muera, porque ya se pagó
la última franquicia, el último fraccionamiento de vida,
que le queda a este niño, que nació cuando él firmaba
la tasa del descuento, que no descuenta nada a los que
no tienen,
si no la pena de haber nacido, desglobalizados,
y que no están dentro de la estadística, porque siempre,
como yo,

fuimos marginales hasta en el momento de nacer.

Que en este país donde nacemos, y que siempre fue nuestro,

hoy por hoy somos extranjeros porque así lo quiso Dios.

El ayer

Para ser leído después de dos tequilas

¡Vayan… por Dios… todas mis penas,
toditas mis angustias!

Porque el verde de mis quereres…, ¡a ti maldita sea!,
qué te importa
solo quiero olvidar cuando tú me dejaste

Y… ¡Mira que no he de olvidarme
sabiendo el odio que llevas…!

Porque yo siempre he de recordarte,
ha de ser así…

Sin culpas al santiguarme, sin recelo al mirarte
porque tú ya no eres mía, ya no eres de nadie

Tú lo quisiste así… y hoy vienes a reclamarme,
que te diga… no sé… ¿qué quieres…?

Déjame solo con mi pensamiento
déjame solo con mi tristeza

Que tú…
No tienes nada qué dar

SILUETAS

Había llovido tanto y tanto
—no estabas ya—
quedaba un recuerdo brumoso de la tarde,
aún así te buscaba.

A lo lejos,
en las sombras
se miraban las siluetas de los cerros
que en el atardecer
se dibujaban contra la luz

Ya te habías ido
y no hubo ni un solo día
que no te recordara.

SONRISA, ALIENTO Y TERNURA

Para Andrea Rodríguez
Para ser leído en la mañana,
en compañía de un niño, con alegría.

Recuerdo como ayer
tu pequeño cuerpo junto al mío,
un respiro, una ilusión.

Una alegría, ternura sin par
manitas en movimiento
piecesitos encorvados.

Cabecita redonda,
un suspiro,
una sonrisa.

Un llanto, un niño con biberón
cuerpo trémulo lleno de energía,
una vida, un cantar.

Sentimiento, protección.
El baño en la mañana,
la siesta en la tarde.

La alegría de vivir,
en el sueño de un niño
Dios se hace materia.

La madre es espíritu,
y la dulce leche, nutrición;
el agua es la vida de un niño juguetón.

Te miro en tu sueño,
me siento padre universal.
Nina… duerme,
que te miro con ilusión.

CUANDO

Esta mujer, sí que me tiene encandilado
con su sonrisa:
Me lleva….
Me trae….
Y me deja.

Cuando me deja:
Sufro

Cuando me llama:
Voy

Cuando me ignora:
Lamento

Cuando me sonríe:
Alegría

Cuando no está:
Tristeza

Cuando
Cuando…
Cuando…

VENTANA

Todo por ahí es belleza…
En el atardecer de mi vida
llegó a mi ventana el viento del amor
y solo quedó el aroma

con esfuerzo llegué a la ventana
el viento se había ido
y sentí la soledad

así fue mi último amor
así fue el último viento
que en la tarde cerró mi ventana

ALTAR

No habrá altar…
Donde reposar mi pena

No habrá día que no te olvide
No habrá ningún verso para tu imagen

Habrá un día de ternura
dedicado a tu ausencia

Habrá siempre olvido
Cuando ya no esté…
serás feliz

Me llevaré tu imagen:
en el camino, la miraré
Estaré tan solo…
Y tú tan acompañada.

ABSOLUTAMENTE

Tarde ya...
los niños van con su utensilio
con la esperanza de hambre

Así van los caminos
Así van los niños
Así van las ternuras

Por eso ya no celebro
absolutamente nada
Porque todo,
todo es *absolutamente* mentira
La pura verdad es que hay una absoluta soledad.

ACERCA DEL AUTOR

Francisco Rodríguez nació en Cajamarca en los primeros años de la década de los cincuenta, cuando la ciudad aún no dejaba sus rezagos coloniales y era todavía pequeña y tranquila, apenas iniciando la modernización. Vivió gran parte de su infancia en la cordillera andina, al sur de la ciudad de Cajamarca, entre el distrito de Cachachi y el Valle de Condebamba, en un estrecho contacto con la naturaleza. Su carácter observador y perceptivo se marcará de manera indeleble con las profundas quebradas y ríos que corren en las montañas, planicies y valles y le dará una visión muy particular de la belleza y la soledad de estos hermosos parajes.

Vivió en una antigua casa hacienda rodeado de libros entre anaqueles y terrados, lo que le permitió mantener una lectura continua, suspendida apenas por sus juegos y caminatas, subiendo o bajando y a veces de travesía. Esta es la impronta que se verá reflejada en su proceso creativo. Vivió algunos años entre Cajamarca y Lima, realizando estudios de filosofía, administración e historia. Desarrolló una intensa actividad teatral en la década de los setenta con el grupo Anteo.

Por hoy nos deja estos textos llenos de emoción, que reflejan su profundo conocimiento de la realidad geográfica que tuvo a bien disfrutar desde niño.

«Es bueno tener un final hacia el cual viajar, pero al final, es el viaje lo que importa».

Ursula K. Le Guin

9 781736 949238